MIS PRIMERAS PÁGINAS

Título original: *Filippo e Gelsomina*

© Raffaella Bolaffio
© Edizioni EL, 2003 (obra original)
© Hermes Editora General S. A. U. – Almadraba Infantil Juvenil, 2012
www.almadrabalij.com
Este libro fue negociado a través de Ute Körner Literary Agent, S. L., Barcelona
(www.uklitag.com)

Impreso el mes de septiembre de 2012

ISBN: 978-84-15207-31-3
Depósito legal: B-26.326-2012
Printed in Spain

BRUNO
Y BLANCA

Raffaella Bolaffio

BRUNO VIVE EN UNA GRANJA
MUY GRANDE.

A BRUNO LE GUSTA PACER
EN LOS PRADOS Y COMER
HIERBA.

BRUNO ES UN CABALLO
MUY DISTRAÍDO:
NO PARA DE TROPEZAR.

TODOS LOS ANIMALES
SE RÍEN DE ÉL.

A BRUNO LE ENCANTA
SALTAR VALLAS, PERO
SE CAE A MENUDO.

CUANDO SE CAE,
BRUNO SE PONE TRISTE.

A VECES, BRUNO DISIMULA
UN POCO, PERO HASTA
LOS GORRIONCILLOS
SE DAN CUENTA
DE QUE SE HA VUELTO
A CAER.

HOY HA LLEGADO
A LA GRANJA UNA YEGUA.
SE LLAMA BLANCA.

BRUNO QUIERE SER
SU AMIGO.

BRUNO SE RESBALA
EN EL BARRO Y ENSUCIA
A BLANCA.

BLANCA SE ENFADA MUCHO.

BRUNO QUIERE
QUE LO PERDONE,
PERO BLANCA TODAVÍA
ESTÁ MUY ENFADADA.

BRUNO DECIDE PONER
MÁS ATENCIÓN EN TODO.

SE APUNTA A LA ESCUELA
DE CABALLERÍA DEL SEÑOR
TEJÓN.

BRUNO QUIERE APRENDER
MUCHAS COSAS NUEVAS.

RÁPIDAMENTE, BRUNO
APRENDE A SALTAR HOYOS
Y VALLAS.

TAMBIÉN APRENDE A ANDAR
SIN TROPEZAR
Y A SER EDUCADO.

BRUNO QUIERE HACER
UN REGALO A BLANCA.

EL SEÑOR TEJÓN LE ENSEÑA
A HACER UNOS COLLARES
MUY BONITOS.

BRUNO REGRESA A
LA GRANJA Y REGALA
A BLANCA UN COLLAR
DE ZANAHORIAS.

BLANCA SE PONE MUY
CONTENTA Y PERDONA
A BRUNO.

—¡GRACIAS, BRUNO,
TE MERECES UN BESO!
—LE DICE.

...¡Y AHORA,
A JUGAR!

BRUNO QUIERE IR A DONDE ESTÁ BLANCA.

AYÚDALO A ENCONTRAR
EL CAMINO.

ENTRE ESTOS DOS DIBUJOS
HAY SEIS DIFERENCIAS.

¿CUÁLES SON?

EL PUZLE ESTÁ
INCOMPLETO.
¿QUÉ PIEZA FALTA?

¿QUÉ COMEN ESTOS ANIMALES?

UNE MEDIANTE UNA LÍNEA CADA ANIMAL CON SU COMIDA.

MIS PRIMERAS PÁGINAS

PUEDES SEGUIR JUGANDO
CON BRUNO Y BLANCA EN
www.misprimeraspaginas.com

ENTRA Y DESCARGA
LA **FICHA DE LECTURA** Y MÁS
PROPUESTAS DE ACTIVIDADES.